귀화시험 벼락치기

귀화시험 벼락치기

발 행 | 2024년 07월 29일
편 저 | 최 우랑
펴낸이 | 한건희
펴낸곳 | 주식회사 부크크
출판사등록 | 2014.07.15(제2014-16호)
주 소 | 서울특별시 금천구 가산디지털1로 119 SK트윈타워 A동 305호
전 화 | 1670-8316
이메일 | info@bookk.co.kr

ISBN | 979-11-410-9770-7

www.bookk.co.kr

귀화시험

최 우랑 편저

수강 신청

목차

애국가

보통빠르게 안익태 작곡

1. 동해물과 백두산이 마르고닳도록
2. 남산위에 저소나무 철갑을두른듯
3. 가을하늘 공활한데 높고구름없이
4. 이기상과 이맘으로 충성을다하여

하느님이 보우-하사 우리나라만세
바람서리 불변-함은 우리기상일세
밝은달은 우리-가슴 일편단심일세
괴로우나 즐거-우나 나라사랑하세

(후렴) 무-궁화 삼-천리 화려강-산

대한사람 대한-으로 길이보전하세

★종합적 주의 사항★

☞주의해야 할 사항☜

1. 옷차림은 편안하고 단정하게 합니다.
2. 아침식사는 간단하게 합니다.
3. 긴장하지 마세요. 너무 긴장이 되면 개인 건강에 따라 청심환 등을 먹을 수도 있습니다.
4. 시험 30분전에는 도착합니다.
5. 1층 주차장 벤치에 앉아서 핵심단어를 읽으며 눈을 감고 관련 문제들을 생각합니다.
6. 항상 존대말로 대답합니다.
7. 목소리는 너무 작지도 크지도 않게 말합니다.
8. 부드러운 말투로 대답합니다.
9. 너무 빠르거나 늦지 않게 말합니다.
10. 문제를 못 듣거나 답이 생각 안 날 때는 당황하지 말고

    "잘 못 들었습니다. 다시한번 말씀해 주세요?"라고 말합니다.

★묻고 답하기 문제★

☞주의해야 할 사항☜

1. 항상 존대말로 대답합니다.

2. 목소리는 너무 작지도 크지도 않게 말합니다.

3. 부드러운 말투로 대답합니다.

4. 너무 빠르거나 늦지 않게 말합니다.

5. 문제를 못 듣거나 답이 생각 안 날 때는 당황하지 말고

   "잘 못 들었습니다. 다시한번 말씀해 주세요?"라고 말합니다.

역사 (핵심 단어)

1. 고조선: 단군왕검, 단군신화, 고인돌,
2. 고구려: 주몽, 광개토대왕, 장수왕
3. 백제: 온조왕, 해상무역
4. 신라: 화랑도, 다보탑, 불국사, 화랑도, 24대 진흥왕, 30대 문무왕
5. 발해: 대조영, 해동성국
6. 고려: 왕건, 코리아
7. 조선: 이성계, 이순신 (노량해전, 한산도 대첩, 명량대첩),
   권율 (행주대첩), 퇴계이황, 이이, 심사임당
8. 일제 식민지시대: 유관순, 삼일운동
9. 임시정부: 김구, 이봉창 (히로히토), 안중근 (히로부미),
   김좌진 (청산리전투)
10. 대한민국: 민주주의, 입법부 (국회), 사법부 (법원), 행정부(대통령)

역사 (실전문제)

● 고조선

1. 청동기시대 대표적 무덤 양식으로 큰 세력을 지녔던 지배자나 족장의 무덤입니다. 고창, 화순, 강화, 세지역에 있는 유네스코 세계유산에 등재된 돌무덤을 무엇이라고 합니까?

   고인돌입니다.

2. 단군 왕검이 기원전 2333년에 세운 한반도 최초 국가 이름은 무엇입니까?

   고조선입니다.

3. 한반도 최초의 국가인 고조선을 세운 사람은 누구입니까?

   단군 왕검입니다.

4. 대한민국의 시조인 단군의 출생과 고조선의 건국에 대한 신화로 동굴 속에서 쑥과 마늘만 먹으며 100일을 버틴 곰이 웅녀라는 인간으로 변신했다는 이야기가 담겨 있는 신화는 무엇입니까?

   단군 신화입니다.

5. 한반도 최초 국가인 고조선 건국할 때 '널리 인간을 이롭게' 한다는 뜻의 건국이념은?

   홍익인간입니다.

- 삼국시대 (고구려, 백제, 신라)

1. 삼국시대때 국가들을 말해보세요.

   고구려, 백제, 신라

2. 고구려를 세운 사람은 누구입니까?

   주몽입니다.

3. 고구려의 왕으로 북진정책을 통해 영토를 크게 확장시킨 왕은 누구입니까?

   광개토대왕입니다.

4. 광개토대왕은 북진정책으로 영토를 크게 확장시켰습니다. 어느 나라입니까?

   고구려입니다.

5. 고구려의 장군이며 살수대첩에서 수나라 군대에 크게 승리한 장군은 누구입니까?

   을지문덕입니다.

6. 고구려를 세운 주몽의 아들이며 백제의 시조인 왕은 누구입니까?

   온조왕입니다.

7. 삼국 (고구려, 신라, 백제) 중 해상무역의 발달로 가장 먼저 전성기를 맞이했던 나라의 이름은 무엇입니까?

   백제입니다.

8. 삼국시대때 일본 문화에 가장 많이 영향을 준 나라는 어느 나라입니까?

백제입니다.

9. 백제 말기의 장군이며 황산벌 전투로 유명한 장군은 누구입니까?

계백 장군입니다.

10. 신라를 건국한 사람은 누구입니까?

박혁거세입니다.

11. 화랑제도, 인재양성, 석굴암, 불국사, 다보탑 등이 있었던 나라는 어디입니까?

신라입니다.

12. 화랑제도를 정비하였고, 삼국통일을 이룬 나라로 경주에 있는 불국사, 석굴암, 다보탑 등 국가유산을 가지고 있던 나라는 어디입니까?

신라입니다.

13. 신라 24대왕으로 인재양성을 위해 화랑제도를 정비하였으며, 백제와 합쳐 고구려를 공격하여 한강 상류지역을 차지하고 불교교단을 정비하여 사상적 통합을 도모한 왕은 누구입니까?

진흥왕입니다.

14. 신라 30대왕으로 삼국통일을 완성한 왕은 누구입니까?

문무왕입니다.

15. 삼국통일의 최고 공을 세운 장군은 누구입니까?

김유신 장군입니다.

16. 신라 진흥왕이 인재 양성하기 위해 만든 청소년 수양단체로 꽃같이 아름다운 남성들의 무리라는 뜻을 가진 단체의 이름은 무엇입니까?

화랑도입니다.

● 고려시대

1. 후고구려를 세운사람은 누구입니까?

궁예입니다.

2. 옛 고구려 땅에 고구려 유민과 말갈족들을 융합하여 발해를 세운 사람은 누구입니까?

대조영입니다.

3. 고구려의 영토 대부분과 연해주를 차지하여 “해동성국”이라 불리며 고구려의 기상과 문화를 이어갔던 대조영이 세운 국가는 무엇입니까?

발해입니다.

4. 고려를 건국한 사람은 누구입니까?

왕건입니다.

5. 대한민국을 영어로 코리아라고 합니다. 코리아는 어느 나라에서 유래된 이름입니까?

고려입니다.

6. 고려의 대표적인 도자기로 푸른 빛을 띠는 도자기를 무엇이라고 합니까?

고려청자입니다.

7. 고려시대에 만들어진 삼국사기는 누가 썼습니까?

김부식이 썼습니다.

8. 고려시대 승려 일연이 쓴 책으로 고조선 건국이 언급되었던 책은 무엇입니까?

삼국유사입니다.

9. 목화재배에 성공하여 고려인들의 추운 겨울을 따뜻하게 해준 사람은 누구입니까?

문익점입니다.

10. 고려시대에 부처의 힘으로 몽골군을 물리치기 위해 만든 경판은 무엇입니까?

팔만대장경입니다.

11. 세계에서 가장 오래된 금속활자 본으로 고려시대에 만들어졌으며 세계기록유산으로 지정된 것은 무엇입니까?

직지심체요절입니다.

● 조선시대

1. 수도를 개성에서 지금 서울인 한양으로 옮기고 조선을 세운 사람은 누구입니까?

   이성계입니다.

2. 한글은 누가 만들었습니까?

   세종대왕입니다.

3. 순수한 백색을 사용한 조선시대 대표적 도자기는 무엇입니까?

   조선백자입니다.

4. 조선시대에 만들어진 비의 양을 측정할 수 있는 기계는 무엇입니까?

   측우기입니다.

5. 조선시대에 만들어진 국가유산으로 별자리의 움직임에 맞게 돌아가도록 되어있어, 천체의 운행과 위치를 관측하는 기구이며, 만원권 지폐 뒷면에 그려져 있는 것은 무엇입니까?

   혼천의입니다.

6. 세종대왕때 장영실, 이천, 김조등이 만든 시간을 알려주는 기계로 '해시계'라고도 불리우는 것은 무엇입니까?

   앙부일구입니다.

7. 조선 세종대왕때 물의 흐름에 따라 시간을 알려주는 물시계는 무엇입니까?

   자격루입니다.

8. 조선시대 역대 왕과 왕비의 신주를 모신 조선 왕조의 사당으로 유네스코 세계문화유산으로 등재된 곳은 어디입니까?

종묘입니다.

9. 조선시대의 왕과 왕비의 무덤으로 40기의 왕릉이 있으며, 세계문화유산으로 지정 받은 곳은 어디입니까?

조선왕릉입니다.

10. 조선시대때 임금에게 직접 억울함을 알리기 위해 사용했던 북의 이름은?

신문고입니다.

11. 임진왜란당시 행주대첩을 이끈 조선의 장군은 누구입니까?

권율입니다.

12. 둥글넓적한 돌 두짝을 아래위로 포개고 윗돌 아가리에 곡식을 넣으면서 손잡이를 돌리면서 곡식을 갈았던 우리나라 전래 기구는 무엇입니까?

맷돌입니다.

13. 조선의 역대 임금님 들의 언동과 정사를 기록한 책으로 국정운영시 참고할 목적으로 쓴 일기는 무엇입니까?

일성록입니다.

14. 조선 태조에서 철종까지 500년 동안 빠짐없이 기록한 책은 무엇입니까?

조선왕조 실록입니다.

15. 백성을 가르치는 바른 소리라는 뜻으로 1443년 세종대왕께서 만드신 글은?

훈민정음입니다.

16. 우리나라 고유의 난방구조로 구들을 통해 온기를 전하는 난방장치는 무엇입니까?

온돌입니다.

17. 조선시대 장군으로 임진왜란때 거북이 모양의 철갑선인 거북선을 만들어 일본군을 물리친 장군은 누구입니까?

이순신 장군입니다.

18. 이순신 장군께서 일본군을 물리치기 위해 만든 세계 최초의 철갑선은 무엇입니까?

거북선입니다.

19. 임진왜란때 이순신 장군께서 일본을 상대로 전투를 이긴 전투 중 3대 대첩을 말해보세요.

한산도 대첩, 명량대첩, 노량대첩입니다.

20. 이순신장군이 전쟁 중 쓰신 일기의 이름은 무엇입니까?

난중 일기입니다.

21. 1598년 이순신 장군이 전사하신 대첩은 어느 대첩입니까?

노량대첩입니다.

22. 김정호가 과학적인 측량 방법을 이용하여 만든 조선 전체를 그린 최초의 지도는 무엇입니까?

대동여지도입니다.

23. 조선 후기의 실학자로 목민심서라는 책을 집필한 사람은 누구입니까?

정약용입니다.

● 일제 식민시대 및 임시정부

1. 1905년 일본이 한국의 외교권을 박탈하기 위해 강제로 체결한 조약은 무슨 조약입니까?

을사 조약입니다.

2. 1910년 일본의 강압아래 대한제국의 통치권을 일본에 넘겨준 조약은 무슨 조약입니까?

한일합병조약입니다.

3. 18세인 이화학당 여학생으로 3.1운동에 참가한 후 일본 경찰에게 체포되어 감옥에서 순국한 독립운동가는 누구입니까?

유관순입니다.

4. 1919년 탑골 공원에서 수많은 학생들과 시민들이 모여 대한 독립을 외치던 대규모 만세운동은 무엇입니까?

삼일운동입니다.

5. 일제 강점기에 독립군이 일본군과 벌인 전투 중 가장 큰 승리를 얻었던 청산리 전투를 이끈 독립군 장군은 누구입니까?

김좌진 장군입니다.

6. 일제 강점기에 일본에 의해 강제로 끌려가 일본군의 성 노예 생활을 강요당한 여성들을 가리켜 무엇이라고 합니까?

일본군 위안부입니다.

7. 구한말의 의병대장으로 활약하였고, 우리나라의 침략에 앞장섰던 이토히로부미를 처단한 독립운동가는 누구입니까?

안중근입니다.

8. 일제 강점기 우리나라를 위해 독립운동을 했던 독립운동가들을 아는 대로 말해보세요.

김구, 윤봉길, 이봉창 등

9. 상하이 홍커우 공원에서 일본 왕 생일 기념식에 폭탄을 투척하여 일본 주요인사들을 죽게 한 일제 강점기때의 독립운동가는 누구입니까?

윤봉길입니다.

10. 1932년 1월 일본 도쿄에서 일본 왕, 히로히토에게 폭탄을 던졌으나, 히로히토는 다치지 않아 거사는 실패하였지만, 일본인들의 간담을 서늘하게 하고, 전세계 피압박 민족에게 경종을 일으켰던 인물은 누구입니까?

이봉창입니다.

11. 1919년 3월 1일 독립만세운동 이후에 중국 상하이에서 조직된 단체의 이름은 무엇입니까?

대한민국 임시정부입니다.

12. 삼일 독립만세운동이후 대한민국 임시정부를 만들었고, 백범일지를 썼으며, 이봉창, 윤봉길 등 독립운동가를 양성한 독립운동가는 누구입니까?

김구입니다.

13. 1919년 삼일 독립만세운동이후 김구 선생님이 중국 상하이에서 임시정부를 만들고 윤봉길, 이봉창, 김좌진 등을 양성하였습니다. 이 분들과 무엇을 하려고 하였습니까?

독립운동입니다.

14. 어린이 날을 만든 사람은 누구입니까?

방정환입니다.

15. 1936년 베를린 올림픽 마라톤에서 금메달을 수상한 사람은 누구입니까?

손기정입니다.

16. 독립 운동가이며 대성학교를 설립하는 등 청년의 교육과 민족정신을 기르는데 힘을 쓴 사람은 누구입니까?

안창호입니다.

● 대한민국 시대

1. 대한민국 초대 (첫번째) 대통령은 누구입니까?

   이승만입니다.

2. 북한이 소련과 중국의 지원을 받아 남한을 공격함으로 한국전쟁이 시작된 날은 언제입니까?

   1950년 6월 25일입니다.

3. 6.25전쟁은 언제 시작되어 언제 끝났습니까?

   1950년 6월 25일 시작되어 1953년 7월 27일에 끝났습니다.

4. 한국전쟁과 관련된 것들을 아는 대로 말해보세요.

   현충일, 휴전선, 이산가족 등이 있습니다.

5. 남북통일이 필요하다고 생각하는 이유는 무엇입니까?

   이산가족 다시 만나고, 나라가 발전합니다.

6. 1960년 4월에 학생들을 비롯해 국민들이 이승만 전 대통령의 자유당 정부의 독재와 부정부패, 부정선거에 항의하여 벌인 민주항쟁은 무엇입니까?

   4.19 혁명입니다.

7. 1970년 박정희 전대통령에 의해 시작되어 농촌의 현대화와 소득을 높이고 환경을 바꾸어 농민들을 잘살게 하는데 큰 역할을 한 운동은 무엇입니까?

   새마을 운동입니다.

8. 1980년 광주에서 일어난 민주화 운동은 무엇입니까?

광주 민주화 운동입니다.

9. 1986년 대한민국에서 개최되었던 국제적인 운동경기 대회는 무엇입니까?

아시안 게임입니다.

10. 1988년 대한민국에서 개최되었던 세계적인 운동경기 대회는 무엇입니까?

올림픽 게임입니다.

11. 2002년 대한민국에서 개최되었던 세계적인 축구경기 대회는 무엇입니까?

한일 월드컵 축구 경기입니다.

12. 2018년 평창에서 열렸던 세계적인 운동 경기대회는 무엇입니까?

평창 동계올림픽입니다.

13. 우리나라는 역사가 오래된 나라입니다. 대한민국 외에 과거에 있었던 나라이름을 아는 대로 말해보세요.

고조선, 고구려, 백제, 신라, 고려 등이 있습니다.

대한민국 정치 (핵심 단어)

1. 삼권분립: 입법부, 사법부, 행정부
    1) 입법부: 국회, 국회의원, 국회의사당, 서울 여의도, 법을 제정, 국정감사
    2) 사법부: 헌법재판소, 대법원, 법원, 대법원장, 삼심제도
    3) 행정부: 대통령, 부처(부), 정부기관(청), 공공기관(소)
2. 다수결의 원리
3. 시장경제 체제

대한민국 정치 (실전문제)

1. 대한민국과 같이 민주국가에서는 국가 권력을 어떻게 분리하고 있습니까?

   입법부, 사법부, 행정부

2. 대한민국에서는 입법부, 사법부, 행정부로 국가 권력을 나누고 있습니다. 그것을 무슨 제도라고 합니까?

   삼권분립입니다.

3. 대한민국은 주권이 국민에게 있고 국민을 위해 정치를 하는 나라입니다. 북한은 어떤 나라입니까?

   공산주의 국가입니다.

4. 일인 또는 일정한 집단에 권력이 집중되어 그외의 집단을 배척하면서 지배하는 정치제도는 무엇입니까?

독재주의 입니다.

5. 민주주의 국가에서 국가의 주권이 정부와 국가중 어디에 있다고 생각하십니까?

국민에게 있습니다.

6. 인간의 존엄성, 개인의 자유와 인권을 보장하면서 모두가 인간다운 삶을 영위하는 가운데 자아를 실현하도록 하는 이념은 무엇입니까?

자유 민주주의 입니다.

7. 모든 국민이 직접 정치에 참여하여 결정하는 것을 무엇이라고 합니까?

직접 민주주의입니다.

8. 국민이 뽑은 대표가 정치 결정을 대신하는 것을 무엇이라고 합니까?

간접 민주주의입니다.

9. 가장 많은 사람들이 선택한 의견으로 결정하는 원리를 무엇이라고 합니까?

다수결의 원리입니다.

10. 사유 재산의 소유와 자유로운 경제활동을 보장함으로써 근로 의욕을 높이고 생산성을 향상시키고자 하는 자본주의 이념을 무엇이라고 합니까?

시장경제 체제입니다.

11. 정치적인 의견이나 주장이 같은 사람들이 모여 만든 단체를 무엇이라고 합니까?

정당입니다.

12. 여러 사람들이 특정한 목적을 위해 일시적으로 모이는 것을 무엇이라고 합니까?

집회입니다.

- 입법부

1. 국민의 대표인 국회의원들로 이루어져 있으며 법을 만들고 행정부와 사법부를 견제, 감시하는 역할을 하는 국가기관은 어디입니까?

국회입니다.

2. 국민의 대표로서 국회를 이루는 구성원이며 4년마다 한번씩 국민의 선거에 의해 선출되는 사람은 누구입니까?

국회의원입니다.

3. 국회의원 선거에 입후보할 수 있는 나이는 몇살이상 입니까?

18세입니다.

4. 국회의원 임기는 몇 년입니까?

4년입니다.

5. 대한민국과 같은 민주국가에서는 국가 권력을 입법부, 사법부, 행정부로 나눕니다. 그 중에서 법률을 제정하는 국가 기관은 어디입니까?

   입법부입니다.

6. 국회의원을 전부 한꺼번에 선출하는 선거를 무엇이라고 합니까?

   총선입니다.

7. 서울 여의도에 있으며, 국회의원들이 모여 회의하고 법을 만드는 장소는 어디입니까?

   국회 의사당입니다.

8. 국회의사당은 어디에 있습니까?

   서울 여의도입니다.

● 사법부

1. 대한민국에서는 국가권력을 입법부, 사법부, 행정부고 나누고 있습니다. 법에 따라 재판을 하고 대법원 및 대법원이 관할하는 모든 기관을 통틀어 말하는 국가기관은 어디입니까?

   사법부입니다.

2. 법원에서 재판의 모든 과정을 진행하고 법에 따라 최종 판결을 내리는 사람은 누구입니까?

   판사입니다.

3. 법원에서 잘못된 판결을 줄이기 위하여 같은 사건에 대해 세번까지 재판을 받을 수 있도록 한 제도를 무엇이라고 합니까?

   삼심제도입니다.

4. 대한민국의 법원은 어떻게 구분됩니까?

   대법원, 고등법원, 지방법원

5. 대한민국 법률심을 담당하는 최고 법원은 어디입니까?

   대법원입니다.

6. 대법원에서 가장 높은 직위를 가진 사람은 누구입니까?

   대법원장입니다.

7. 분쟁이 해결되지 않을 경우에 법에 따라 법원의 재판을 통해 권리를 보장받는 대표적인 방법은 무엇입니까?

   소송입니다.

8. 사람들 사이에 다툼이 있거나 법을 어긴 경우에 법에 따라 재판을 통해 판결을 내려 다툼을 해결하고 사회질서를 유지하는 곳은 어디입니까?

   법원입니다.

9. 법원에서 법에 의한 판결을 내리는 사람은 누구입니까?

   판사입니다.

10. 한국국적을 받은 후 개명하기를 원할 경우 개명허가 신청은 어디에 합니까?

   가정법원입니다.

11. 혼인, 이혼, 상속, 입양 등 가사에 관한 사건과 소년에 관한 사건 등을 전문적으로 처리하는 법원은 어디입니까?

가정법원입니다.

● 행정부

1. 대한민국의 국가권력은 입법부, 사법부, 행정부로 나누어집니다. 대통령을 중심으로 국가의 행정을 맡아보는 기관은 어디입니까?

행정부

2. 국민보건 및 사회복지 등에 관련된 일을 하는 행정부의 부처는 어디입니까?

보건복지부입니다.

3. 대한민국에서는 5년마다 국민들의 선거에 의해 선출되며 행정부와 국가를 대표하는 사람은 누구입니까?

대통령입니다.

4. 대한민국의 대통령을 뽑는 선거를 무엇이라고 합니까?

대선입니다.

5. 대통령은 몇 번 할 수 있습니까?

한번만 할 수 있습니다.

6. 1987년 6월 민주항쟁 결과 16년만에 국민이 직접 대통령을 선출하게 되었습니다. 모든 국민들이 직접 대통령을 뽑는 선거 제도를 무엇이라고 합니까?

대통령 직선제입니다.

7. 대통령의 임기는 5년인데 만약 사망한다면 누가 임시로 대통령의 직을 수행하게 됩니까?

국무총리입니다.

8. 국무총리의 지휘를 받으며 법무부, 국방부등의 행정 각 부처의 책임자는 누구입니까?

장관입니다.

9. 대한민국 대통령이 머무는 곳이며 대통령이 나라 일을 보는 곳은 어디입니까?

용산 대통령 실입니다.

10. 대통령이 소속 되어있는 당을 무엇이라고 합니까?

여당입니다.

11. 대통령이 소속 되어있는 당은 여당이라고 부르며 그외의 정당은 무엇이라고 부릅니까?

야당입니다.

12. 국가간 외교와 관련된 일을 하는 행정부의 부처는 어디입니까?

외교부입니다.

13. 국방 및 안보와 관련된 일을 하는 행정부의 부처는 어디입니까?

국방부입니다.

14. 국민의 안전 편의화 관련된 일을 하는 행정부의 부처는 어디입니까?

행정안전부입니다.

15. 인적자원 개발 및 학교 교육 등에 관련된 일을 하는 행정부의 부처는 어디입니까?

교육부입니다.

16. 통일, 북한과 관련된 일을 하는 행정부의 부처는 어디입니까?

통일부입니다.

17. 일자리 등의 고용노동에 관련된 일을 하는 행정부의 부처는 어디입니까?

고용 노동부입니다.

18. 범죄를 예방하거나 범죄자를 처벌하고 국민 모두의 인권이 보호받을 수 있도록 노력하는 정부 부처의 명칭은 무엇입니까?

법무부입니다.

19. 여성, 가족, 아동, 청소년 등에 관련된 업무를 담당하는 행정부의 부처는 어디입니까?

여성가족부입니다.

20. 대한민국 대통령의 임기는 몇 년입니까?

5년입니다.

21. 시나 군을 단위로 하여 초등학교, 중학교, 고등학교 등의 학교교육이나 지방자치단체의 교육, 학예에 관한 사무를 맡아보는 행정기관은 어디입니까?

교육청입니다.

22. 방역, 검역 등 감염병에 관한 사무 및 각종 질병에 관한 조사, 시험, 연구에 관한 사무를 관장하는 행정기관은 어디입니까?

질병 관리청입니다.

23. 치안에 관한 사무를 관장하는 행정기관은 어디입니까?

경찰청입니다.

24. 징집, 소집 등 국민의 병역의무 이행과 관련한 국가의 병무행정 업무를 담당하는 행정기관은 어디입니까?

병무청입니다.

25. 내국세의 부과 감면 및 징수에 관한 사무를 관장하는 행정기관은 어디입니까?

국세청입니다.

26. 법무부 소속으로 내외국인의 출입국 심사, 국적취득, 비자 발급등과 관련된 업무를 담당하는 행정기관은 어디입니까?

출입국외국인청입니다.

27. 소방에 관한 사무를 관장하는 행정기관은 어디입니까?

소방청입니다.

28. 화재의 예방과 진압을 하며, 위험에 처한 사람들을 안전하게 구조하는 일을 하는 공공기관은 어디입니까?

소방서입니다.

29. 지역 주민의 건강과 질병 예방 및 관리를 위해 국가가 운영하는 공공기관으로 예방접종이나 각종 질병 검사 등을 할 수 있으며, 일반 병원보다 진료비가 저렴한 기관은 어디입니까?

보건소입니다.

30. 고충민원의 처리와 이에 관한 불합리한 행정제도의 개선, 부패의 발생 예방 등의 일을 하는 사무 기관은 어디입니까?

국민권익위원회입니다.

31. 소비자의 권익을 증진하고 소비생활의 향상을 도모하기 위한 공공기관은 어디입니까?

한국소비자원입니다.

32. 국가의 세금 사용과 공무원의 직무에 대해 감사하는 정부 기관은 어디입니까?

감사원입니다.

33. 국가 공권력과 사회적 차별행위에 의한 인권침해 구제 기관은 어디입니까?

국가인권 위원회입니다.

대한민국 지방자치제도 (핵심 단어)

특별시, 광역시, 특별자치도, 특별자치시, 도, 구, 군,

대한민국 지방자치제도 (실전문제)

1. 대한민국에는 9개의 도가 있습니다. 모두 말해보세요.

   경기도, 경상북도, 경상남도, 충청북도, 충청남도, 전북특별자치도, 전라남도, 강원특별자치도, 제주특별자치도입니다.

2. 대한민국의 6개 광역시를 말해보세요.

   광주, 대구, 부산, 울산, 인천, 대전입니다.

3. 대한민국의 특별자치시를 말해보세요

   세종특별자치시입니다.

4. 대한민국의 특별자치도를 말해보세요.

   제주특별자치도, 강원특별자치도, 전북 특별자치도입니다.

5. 대한민국이 특별시를 말해보세요.

   서울특별시입니다.

대한민국 법 (핵심 단어)

1. 헌법: 국민이 만듦, 헌법재판소, 최고 기본법
2. 일반법: 국회가 만듦, 민법, 형법, 민사재판, 형사재판, 변호사, 검사.
3. 범칙금, 벌금

대한민국 법 (실전문제)

1. 법은 왜 만들었습니까?

   사회질서를 유지하기 위하여 만들었습니다.

2. 헌법의 기본원리에는 어떤 것들이 있습니까?

   국민주권주의, 자유민주주의, 사회국가원리, 국제평화주의, 평화통일 등이 있습니다.

3. 헌법을 수호하고 국민의 기본권을 보호하며, 헌법과 관련된 분쟁을 다루는 특별재판소는 무엇입니까?

   헌법 재판소입니다.

4. 국가의 통치조직과 운영원리를 정하고 국민의 기본권을 보장하는 우리나라 최고 기본법은 무엇입니까?

   헌법입니다.

5. 개인간의 다툼을 해결하기위해 정하는 법을 무엇이라고 합니까?
   민법입니다.

6. 개인사이의 사사로운 문제를 해결하기위해 하는 재판을 무엇이라고 합니까?

민사재판입니다.

7. 아파트와 같은 공동주택에서 아랫집에서 들리는 윗집의 소음을 무엇이라고 합니까?

층간 소음입니다.

8. 층간 소음 등 개인간 갈등을 해결하기 위하여는 무슨 재판을 하여야 합니까?

민사재판입니다.

9. 다른 사람이 소유한 집을 빌려 계약해서 전세나 월세를 내며 사는 사람들을 보호하기위해 만든 법은 무엇입니까?

주택임대차보호법입니다.

10. 법원, 행복복지센터등에서 주택임대차 계약을 한날과 전입을 확인해 주는 행위는?

확정 일자입니다.

11. 대한민국에 입국하거나 출국하는 모든 국민 및 외국인의 출입국관리와 외국인의 체류관리 및 난민의 인정 절차등에 관한 사항을 규정한 법은 무엇입니까?

출입국 관리법입니다.

12. 대한민국 국민이 되는 요건에 대하여 규정한 법은 무엇입니까?

국적법입니다.

13. 사회질서가 안정적으로 유지될 수 있도록 살인, 강도, 폭력, 절도 등 범죄의 유무와 형벌의 정도를 정하는 법은 무엇입니까?

형법

14. 강도 살인, 절도 등의 범죄자를 처벌하기 위해 하는 재판은 무엇입니까?

형사재판입니다.

15. 재판 소송에서 피의자나 피고인을 위해 변호를 하는 사람은 누구입니까?

변호사입니다.

16. 범죄 사건을 수사하고, 범죄 여부를 판단하기 위해 범죄의 의심을 받는 사람(피의자)에게 법원의 심판을 구하는 일을 담당하는 사람은 누구입니까?

검사입니다.

17. 교통사고의 위험으로부터 어린이를 보호하기위해 필요한 경우 어린이집, 유치원, 초등학교, 학원 등 만 13세 미만 어린이시설 주변도로 가운데 일정구간을 보호구역으로 지정하여, 자동차등의 통행 속도를 시속 30킬로미터이내로 제한할 수 있습니다. 이 구역을 무엇이라고 합니까?

어린이 보호구역입니다.

18. 장애인의 완전한 사회 참여와 평등권 실현을 통해 인간으로서의 존엄과 가치를 구현함을 목적으로 하는 법은 무슨 법입니까?

장애인 차별금지법입니다.

19. 거동이 불편하거나 어려운 장애인들을 위해 만들어 졌으며, 주차된 차에 보행상 장애가 있는 자가 탑승한 경우만 주차할 수 있는 구역을 무엇이라고 합니까?

장애인 전용 주차 구역입니다.

20. 교통사고의 위험으로부터 장애인을 보호하기 위하여, 필요하다고 인정하는 때에는 도로 가운데 일정구간을 보호구역으로 지정하여 차량의 통행을 제한, 금지하는 등 필요한 조치를 할 수 있습니다. 이구역을 무엇이라고 합니까?

장애인 보호구역입니다.

21. 무단횡단, 쓰레기를 함부로 버리기, 금연구역에서 담배 피우기, 차에서 안전벨트 안매기등 가벼운 잘못으로 경범죄 등 처벌을 받은 사람에게 부과되는 것은 무엇입니까?

범칙금입니다.

22. 법률, 규약을 위반했을 때 벌로 내는 돈은 무엇입니까?

벌금

23. 개인간의 분쟁이나 갈등이 발생해서 법률문제의 도움을 받고 싶지만, 비용이 부담스러울 때에 도움을 받을 수 있는 공인적 기구는 어디입니까?

대한법률구조공단입니다.

대한민국 선거 (핵심 단어)

1. 선거의 4대원칙

   (1)보통선거: 누구나

   (2)평등선거: 한표씩

   (3)직접선거

   (4)비밀선거

2. 총선: 국회의원 한꺼번에

3. 대선: 대통령을 뽑는

대한민국 선거 (실전문제)

1. 투표는 왜 해야 합니까?

   대한민국과 같은 민주주의 국가에서는 국가의 주인이 국민이기 때문입니다.

2. 대한민국 선거의 4대 원칙은 무엇입니까?

   보통선거, 평등선거, 직접선거, 비밀 선거입니다.

3. 선거의 4대 원칙 중 국민으로서 일정한 나이가 되면 누구나 선거권을 가질 수 있는 것을 무슨 선거라고 합니까?

   보통선거

4. 대통령 선거를 하기위해 투표소에 갔습니다. 돈이 많은 철수와 돈이 없는 영희가 똑같이 한표씩 투표합니다. 이런 선거를 무슨 선거라고 합니까?

   평등 선거입니다.

5. 선거권을 가진 국민들이 직접 투표하여, 자신의 대표를 뽑는 것을 무슨 선거라고 합니까?

   직접 선거입니다.

6. 대한민국 4대 선거 원칙 중 누구에게 투표했는지 투표자 이외에는 알 수 없도록 한 선거를 무슨 선거라고 합니까?

   비밀 선거입니다.

7. 국민의 권리인 선거권을 갖는 나이는 몇 세 이상부터 입니까?

   만 18세이상부터입니다.

8. 선거당일 선거를 하러 갈 때 꼭 가지고 가야 하는 것은 무엇입니까?

   신분증입니다.

9. 1960년 3월 15일 자유당이 선거에서 개표를 조작하는 등의 사건이 있었고, 결국 이승만 대통령이 대통령직에서 물러나야 했습니다. 이 사건은 무엇입니까?

   3.15 부정선거입니다.

10. 선거에서 특정한 후보자를 당선시키기 위하여 국민들을 상대로 투표하기 전에 미리 선거운동을 합니다. 이것을 무엇이라고 합니까?

    사전 선거운동입니다.

11. 지방의회 의원 및 지방자치단체의 장을 뽑는 지방선거는 몇 월 달에 있습니까?

6월달에 있습니다.

대한민국 국민의 헌법상 권리 (핵심 단어)

헌법상 국민의 기본권리: 자유권, 평등권, 사회권, 참정권, 청구권

대한민국 국민의 헌법상 권리 (실전문제)

1. 태어나면서부터 가지게 되는 인간으로서 당연히 누릴 수 있는 권리는 무엇입니까?

   인권입니다.

2. 헌법에 있는 국민의 기본권리에는 어떤 것들이 있습니까?

   자유권, 평등권, 사회권, 참정권, 청구권이 있습니다.

3. 국민이 자신들의 권리를 침해당했을 때 국가에 그 구제를 요구할 수 있는 헌법상 권리는 무엇입니까?

   청구권입니다.

4. 헌법상 국민의 권리 중 국민이 정치에 참여할 수 있는 권리를 무엇이라고 합니까?

   참정권입니다.

5. 인간이면 누구나 인간다운 생활을 할 수 있도록 국가에 요구할 수 있는 기본권이고, 그로부터 근로권, 교육권, 환경권 등을 이끌어낼 수 있는 기본권은 무엇입니까?

   사회권입니다.

6. 타인에게 피해가 없는 한 개인의 자유에 대해 침해 받지 않을 권리로 그로부터 언론의 자유, 종교의 자유, 신체의 자유, 거주이전의 자유 등을 이끌어 낼 수 있는 기본권은 무엇입니까?

자유권입니다.

7. 국민의 기본권 중 모든 국민이 성별, 종고, 직업, 인종 등에 의해 차별받지 않을 권리는 무엇입니까?

평등권입니다.

대한민국 국민의 헌법상 의무 (핵심 단어)

헌법상 국민의 4대 의무: 국방의 의무, 근로의 의무, 교육의 의무, 납세의 의무

대한민국 국민의 헌법상 의무 (실전문제)

1. 대한민국 국민으로서 나라를 지켜야 할 의무를 무엇이라고 합니까?
   국방의 의무입니다.

2. 대한민국 국민은 본인과 국가 발전을 위하여 열심히 일을 할 의무가 있습니다. 이 의무를 무엇이라고 합니까?

   근로의 의무입니다.

3. 대한민국의 모든 국민은 그 보호하는 자녀에게 헌법상 초등학교, 일반 법률상 중학교까지 교육을 받게 할 의무가 있습니다. 이 의무를 무엇이라고 합니까?

   교육의 의무입니다.

4. 대한민국 교육과정은 초등학교, 중학교, 고등학교, 대학교, 대학원의 단계로 이루어져 있습니다. 대한민국국민은 일정기간동안 의무적으로 교육을 받아야 합니다. 일반법률상 반드시 학교에서 교육을 받아야 하는 기간은 몇 년입니까?

   9년입니다.

5. 일반법률상 대한민국의 국민은 일정기간동안 의무적으로 교육을 받아야 합니다. 의무교육은 언제까지 받아야 합니까?

중학교까지입니다.

6. 대한민국 국민은 열심히 일하여 생활을 하고, 수익 중 일정액을 세금으로 국가에 내야 합니다. 이 의무를 무엇이라고 합니까?

납세의 의무입니다.

7. 월급과 같이 개인에게 소득이 생기면 국가에 세금을 내야 합니다. 이 세금은 무엇입니까?

소득세입니다.

8. 국민이 일을 해서 세금을 내는 곳은 어디입니까?

세무서입니다.

9. 헌법상 국민의 의무에는 어떤 것들이 있습니까?

납세의 의무, 국방의 의무, 교육의 의무, 근로의 의무, 환경보전의 의무 등의 있습니다.

10. 헌법상 국민의 4대의무를 말해보세요.

납세의 의무, 국방의 의무, 교육의 의무, 근로의 의무

11. 대한민국 남자라면 만 18세가 넘으면 나라를 지키기 위해 어디에 갑니까?

군대에 갑니다.

대한민국 국민의 기본 상식 (핵심 단어)

1. 가장 동쪽에 있는 섬: 독도
2. 가장 남쪽에 있는 섬: 마라도
3. 남북한을 합쳐 가장 높은 산: 백두산
4. 남한에서 가장 높은 산: 한라산
5. 대한민국 국기: 태극기
6. 대한민국 국화: 무궁화
7. 대한민국 국가: 애국가
8. 대한민국 계절: 봄, 여름, 가을, 겨울
9. 동전의 종류: 10원, 50원, 100원, 500원
10. 지폐의 종류: 천원, 오천원, 만원, 오 만원.

대한민국 국민의 기본 상식 (실전문제)

1. 한국의 정식 국가 명칭은 무엇입니까?

   대한민국입니다.

2. 대한민국의 수도는 어디입니까?

   서울특별시입니다.

3. 태극기의 4괘는 무엇입니까?

   건.곤.감.리.입니다

4. 3월1일 삼일절, 7월17일 제헌절 등 국경일 아침에 꼭 해야 하는 일중 하나는 무엇 입니까?

태극기 달기입니다.

5. 대한민국을 상징하는 국기의 이름은 무엇입니까?

태극기입니다.

6. 대한민국의 국가는 무엇입니까?

애국가입니다.

7. 대한민국의 국화는 무엇입니까?

무궁화입니다.

8. 대한민국 국보 1호는 무엇입니까?

남대문 (숭례문)입니다.

9. 대한민국을 대표하는 것들에는 무엇이 있는지 3가지 이상 말해보세요.

김치, 한복, 한글, 무궁화 등입니다.

10. 대한민국에서 사용되고 있는 지폐 종류에는 어떤 것들이 있나요?

천원, 오천원, 만원, 오만원이 있습니다.

11. 대한민국 지폐 천원권에 인쇄되어 있는 인물은 누구입니까?

퇴계 이황입니다.

12. 신사임당의 아들이며 대한민국 지폐 오천원권에 인쇄되어 있는 인물은 누구입니까?

율곡 이이입니다

13. 대한민국 지폐 만원권에 인쇄되어 있는 인물은 누구입니까?

세종대왕입니다

14. 대한민국 지폐 오만원권에 인쇄되어 있는 인물은 누구입니까?

신사임당입니다

15. 대한민국에서 유통되고 있는 동전의 종류에는 어떤 것들이 있나요?

10원, 50원, 100원, 500원이 있습니다.

16. 동전 앞면에 경주 불국사, 다보탑이 새겨져 있는 동전은 얼마짜리 동전입니까?

10원입니다.

17. 대한민국에서 사용하는 동전 중 크기가 가장 큰 동전은 얼마짜리 동전입니까?

오백원짜리 동전입니다.

18. 대한민국에서 사용하는 동전 중 500원동전에 새겨진 동물은 무엇입니까?

학입니다.

19. 한국인 최초의 유엔 사무총장은 누구입니까?

반기문입니다.

20. 한국인 역사상 최초로 노벨평화상을 수상한 사람은 누구입니까?

김대중입니다.

21. 삼면이 바다이며 한곳이 대륙으로 연결된 것을 반도라고 부르는데 남한과 북한을 통틀어 무엇이라고 부릅니까?

한반도입니다.

22. 한반도 남북한을 통틀어 가장 높은 산은 백두산입니다. 그럼 남한에서 가장 높은 산은 어디입니까?

한라산입니다.

23. 대한민국 가장 동쪽에 있는 섬이며, 일본과의 영토 분쟁이 계속되고 있는 섬은 어디입니까?

독도입니다.

24. 대한민국에서 가장 남쪽에 있는 섬은 어디입니까?

마라도입니다.

25. 대한민국 남쪽에 있는 대한 민국에서 제일 큰 섬으로, 한라산 국립공원이 있는 곳은 어디입니까?

제주도입니다.

26. 제주도의 또 다른 이름은 무엇입니까?

바람, 돌, 여자가 많다고 하여 '삼다도'라고 불립니다.

27. 대한민국은 동해, 남해, 서해 등 삼면이 바다로 둘러싸여 있습니다. 이중 독도가 있는 바다는 어디입니까?

동해입니다.

28. 대한민국은 동해, 남해, 서해 삼면이 바다로 둘러싸여 있습니다. 이 중 갯벌이 있는 해변은 어디입니까?

서해입니다.

29. 대한민국의 4대강 이름을 말해보세요.

한강, 낙동강, 금강, 영산강입니다.

30. 서울을 가로질러 흐르는 강이름은 무엇입니까?

한강입니다.

31. 대한민국에는 몇 개의 계절이 있습니까?

봄, 여름, 가을, 겨울 사계절이 있습니다.

32. 대체로 포근하고 따뜻하며 이따금씩 중국으로부터 황사가 불어오고, 개나리, 진달래 등 꽃들을 즐길 수 있는 계절은 어느 계절입니까?

봄입니다.

33. 태풍, 홍수, 장마 등의 기상현상이 나타나고 무덥고 습한 계절은 어느 계절입니까?

여름입니다.

34. 대한문국의 아름다운 단풍을 보고 싶으면 어느 계절에 산에 가야 합니까?

가을입니다.

35. 대한민국 4계절중 기온이 제일 낮고, 눈도 오고 보통 3일은 춥고 4일은 따뜻한 날씨를 보이는 계절은 언제입니까?

겨울입니다.

36. 낮이 가장 짧고 밤이 가장 긴 날을 무슨 날이라고 하며, 그날 먹는 음식은 무엇입니까?

동지라고 하며 팥죽을 먹습니다.

37. 17세기 후반에 조선, 일본, 중국, 동아시아 교역물의 핵심이 되었고, 뿌리 모양이 사람처럼 생긴 약초는 무엇입니까?

인삼입니다.

38. 나라를 위하여 목숨의 바쳐 공을 세운 사람들이나 군인들의 유해를 모셔 두려고 국가에서 만들어 관리하는 묘지를 무엇이라고 합니까?

국립묘지입니다.

39. 가짜 이름이나 다른 사람의 이름이 아닌 오직 본인의 이름으로만 금융거래를 할 수 있도록 한 제도를 무엇이라고 합니까?

금융실명제라고 합니다.

40. 대한민국의 예금자 보호제도에 의하면 예금자가 은행별로 보장받을 수 있는 최대 금액은 얼마입니까?

오천만원입니다.

대한민국의 국경일 (핵심 단어)

1. 개천절: 10월 3일
2. 한글의 날: 10월 9일
3. 삼일절: 3월 1일
4. 광복절: 8월 15일
5. 제헌절: 7월 17일
6. 현충일: 6월 6일
7. 국군의 날: 10월 1일

대한민국의 국경일 (실전문제)

1. 대한민국 국경일에는 어떤 것들이 있습니까?

   한글날, 제헌절, 국군의 날 등이 있습니다.

2. 대한민국 국경일중 10월 3일은 단군이 처음으로 나라를 세운 날입니다. 이날을 기념하기위한 국경일은 무엇입니까?

   개천절입니다.

3. 세종대왕께서 우리의 글자를 만들어 세상에 널리 알린 것과 한국의 우수성을 기리기 위해 제정한 국경일은 무엇입니까?

   한글날입니다.

4. 1919년 3월 1일 일제의 식민 지배에 저항하기위해 전국적으로 독립만세 운동이 일어난 날입니다. 이날을 기념하기위한 국경일은 무엇입니까?

   삼일절입니다.

5. 매년 5월 5일 어린이 사랑정신을 함양하고 어린이들에게 꿈과 희망을 심어 주고자 방정환 선생님이 만든 날은 무슨 날입니까?

   어린이 날입니다.

6. 일본에게 나라를 빼앗겨 35년간이나 일본의 식민 지배를 받고 1945년 8월 15일 그 식민 지배로부터 독립된 날을 기념하는 국경일은 무엇입니까?

   광복절입니다.

7. 대한민국의 국경일중 1948년 7월 17일은 대한민국에서 헌법을 처음으로 만든 날입니다. 이날을 기념하기위한 국경일은 무엇입니까?

   제헌절입니다.

8. 6월 6일은 나라를 위해 싸우다 숨진 장병과 순국선열들의 충성을 기리기 위해 만든 날입니다. 이날은 태극기를 깃봉에서 긴 면의 너비만큼 내려 게양합니다. 이날을 기념하기위한 국경일은 무엇입니까?

   현충일입니다.

9. 5월 8일은 어버이의 은혜에 감사하고, 어른과 노인을 공경하는 경로효친의 전통적 미덕을 기리기 위해 제정한 날은 무슨 날입니까?
   어버이 날입니다.

10. 매년 5월 15일 공경하는 스승님 들의 은혜를 기리고 선생님들의 사기를 높이고자 제정된 국경일은 무엇입니까?

스승의 날입니다.

11. 매년 10월 1일 한국군의 위용과 전투력을 국내외에 과시하고 국군 장병의 사기를 높이기 위해 제정된 날은 무슨 날입니까?

국군의 날입니다.

대한민국의 문화 (핵심 단어)

아리랑, 판소리, 한복, 미역국, 김치, 태권도, 탈, 시아버님,

시어머님, 장인어른, 장모님, 환갑, 고희, 제사, 문상,

대한민국의 문화 (실전문제)

1. 대한민국을 대표하는 전통의상을 무엇이라고 합니까?

   한복입니다.

2. 대한민국의 전통적인 집이며 난방을 위한 온돌과 냉방을 위한 대청마루가 균형 있게 결합되어 있는 대한 민국 전통 건축양식으로 만든 집을 무엇이라고 합니까?

   한옥입니다.

3. 여름철에 먹는 보양식으로 닭에 인삼, 대추, 찹쌀 등을 넣고 푹 고아서 먹는 한국 전통 음식은 무엇입니까?

   삼계탕입니다.

4. 출산 후 빨리 회복되기 위하여 또는 생일날 전통적으로 먹는 음식은 무엇입니까?

   미역국입니다.

5. 세계적인 음식으로 소금에 절인 배추나 무 등을 고춧가루 등의 양념에 버무려 만드는 대한민국전통 발효음식은 무엇입니까?

   김치입니다.

6. 콩으로 만든 메주를 주재료로 하여 만드는 전통 양념을 무엇이라고 합니까?

   된장입니다.

7. 대한민국의 전통음식 중 보리밥 또는 쌀밥에 나물과 여러 가지 재료와 고추장을 넣어 비벼 먹는 음식의 이름은 무엇입니까?

   비빔밥입니다.

8. 대한민국에서 전통적으로 결혼식장에 가면 국수발처럼 오내 잘살라는 의미로 먹게 되는 음식은 무엇입니까?

   잔치 국수입니다.

9. 정월 대보름 먹는 전통 음식으로 5가지 곡식을 섞어 지는 밥을 무엇이라고 합니까?

   오곡밥입니다.

10. 동짓날에 질병이나 귀신을 쫓는 음식은 무엇입니까?

    팥죽입니다.

11. 올림픽 종목으로 채택된 대한민국의 전통 운동으로 손과 발등을 사용하여 차기, 지르기 등의 기술을 구사하는 운동은 무엇입니까?

    태권도입니다.

12. 순수한 대한민국 전통 음악이며, 모든 예술의 결집체인 종합예술로써 북장단에 맞추어 이야기의 줄거리를 노래로 진행하는 대한민국 고유의 음악 장르입니다. 이 음악은 무엇입니까?

    판소리입니다.

13. 우리나라의 민요 "십리도 못 가서 발병 난다"라는 기사를 가지고 있는 노래의 제목은 무엇입니까?

아리랑입니다.

14. 대한민국의 전통적인 행사로 겨울동안 먹기 위하여 김치를 한꺼번에 담그는 일을 무엇이라고 합니까?

김장입니다.

15. 대한민국의 전통놀이로 모래밭에서 두사람이 샅바를 잡고 겨루는 놀이를 무엇이라고 합니까?

씨름입니다.

16. 꽹과리, 장구, 북, 징의 네가지 악기를 가지고 무대나 실외에서 연주하면서 그 음악에 맞추어 놀이를 하는 것을 무엇이라고 합니까?

사물놀이라고 합니다.

17. 예전 사람이나 동물의 얼굴 모양을 본떠서 만든 것으로, 종이 등으로 만들었고 이것으로 사람들이 얼굴을 가리고 춤을 추었습니다. 이것은 무엇입니까?

탈입니다.

18. 남편이 아내의 어머니를 부르는 호칭은 무엇입니까?

장모님입니다.

19. 남편이 아내의 아버지를 부르는 호칭은 무엇입니까?

장인어른입니다.

20. 아내는 남편의 어머니를 부르는 호칭은 무엇입니까?

시어머님입니다.

21. 아내는 남편의 아버지를 부르는 호칭은 무엇입니까?

시아버님입니다.

22. 아내가 남편의 형을 부르는 호칭은 무엇입니까?

아주버님입니다.

23. 부모와 자녀 간에는 몇 촌 입니까?

일촌입니다.

24. 남편이나 아내 형제자매의 아이들 간의 관계를 무엇이라고 합니까?
사촌이라고 합니다.

25. 돌아가신 조상을 생각하며 음식을 바치고 정성을 다하는 의례를 무엇이라고 합니까?

제사입니다.

26. 태어나서 60번째 (예순 번째) 맞이하는 생일을 축하하는 잔치를 무엇이라고 합니까?

환갑 잔치입니다.

27. 태어나서 나이가 70세가 되는 해의 생일 잔치를 무엇이라고 합니까?

칠순잔치 또는 고희잔치라고 합니다.

28. 새집으로 이사를 한 후 가족, 친지, 지인 등을 불러서 잔치를 하는 풍습을 무엇이라고 합니까?

집들이 입니다.

29. 대한민국에서 보통 집들이를 갈 때 무슨 선물을 준비하나요?

휴지 또는 세제입니다.

30. 아기가 태어난 후 일년이 되는 날에 열어주는 잔치를 무엇이라고 합니까?

돌잔치입니다.

31. 죽은 사람에 대해 예를 갖추어 땅에 묻거나 화장하는 것을 무엇이라고 합니까?

장례식입니다.

32. 장례식장에 그 사람과 그 가족들을 위로하기 위해 방문하는 일을 무엇이라고 합니까?

문상입니다.

33. 상을 당한 가족에게 위로의 뜻으로 내는 돈을 무엇이라고 합니까?
조의금 또는 부의금이라고 합니다.

34. 결혼식에 갈 때 축하의 뜻으로 내는 돈을 무엇이라고 합니까?

축의금입니다.

대한민국의 명절

1. 설날: 떡국, 세 배, 윷놀이

2. 추석: 송편,

대한민국의 명절 (실전문제)

1. 대한민국의 4대 명절을 말해 보세요.

   설날, 단오, 추석, 한식입니다.

2. 새해 첫번째 날인 설날에 먹는 음식 중 가장 대표적인 음식은 무엇입니까?

   떡국입니다.

3. 새해 첫번째 날인 설날에 세배를 받는 윗사람이 자녀와 손주 등 아랫사람들에게 덕담을 하고 주는 돈을 무엇이라고 합니까?

   세뱃돈입니다.

4. 새해 첫번째 날인 설날에 깨끗한 옷이나 한복을 입고 웃어른께 새해인사를 하면서 하는 절을 무엇이라고 합니까?

   세배입니다.

5. 설날을 대표하는 전통놀이에는 무엇이 있습니까?

   윷놀이 입니다.

6. 음력 8월 15일은 식구들이 고향에 모여 차례를 지내고 성묘를 하는 대한민국의 명절을 무엇이라고 합니까?

   추석입니다.

7. 추석에 먹는 음식 중 가장 대표적인 음식으로 반달모양의 떡을 무엇이라고 합니까?

   송편입니다.

8. 대한민국 대표적인 명절인 설, 대보름, 단오, 백중, 추석 밤에 수십명의 마을 처녀들이 손을 잡고 원을 만들어 돌며 노래하는 민속놀이는 무엇입니까?

   강강술래입니다.

9. 정월 대보름날 이른 아침에 한해 동안의 각종 부스럼(피부병)을 예방하고 이를 튼튼하게 하려는 뜻으로 날밤, 호두, 은행, 잣 등과 같은 견과류를 어금니로 깨무는 풍습은 무엇입니까?

   부스럼 깨끼입니다.

대한민국 생활 (핵심 단어)

행정복지센터, 혼인신고, 출생신고, 처방전, 사회 통합 프로그램, 금융실명제, 독도, 교환, 환불, 등기부등본(등기사항증명서), 4대 사회보험(건강, 고용, 산재, 국민연금), 신용카드, 교통카드, 119, 112, 위자료, 고용노동부, 경인선, 경부선, 경인고속도로, 경부고속도로, 부가가치세, 종량제 봉투

대한민국 생활 (실전문제)

1. 결혼을 하여도 행정관청에 신고를 해야 법적인 부부가 됩니다. 이러한 신고를 무슨 신고라고 합니까?

   혼인신고라고 합니다.

2. 혼인 신고는 어디에 합니까?

   시청, 구청, 읍사무소 또는 면사무소에 합니다.

3. 주민등록증은 몇 살부터 받을 수 있습니까?

   17세입니다.

4. 대한민국에서 법적으로 혼인할 수 있는 나이는 몇 살입니까?

   만18세입니다.

5. 아기가 태어나 한달 이내에 출생신고를 하려면 어디로 가야 합니까?

   행정복지센터입니다.

6. 대한민국에서 여권을 만들려면 어디에 가야 합니까?

구청, 시청이나 도청입니다.

7. 스미싱, 메신저, 피싱 등 전화를 하여 주민등록 번호 등의 개인 정보를 알아 낸 뒤 범죄에 이용하는 전화 금융 사기 수법을 무슨 범죄라고 합니까?

보이스피싱입니다.

8. 휴전선을 중심으로 남한과 북한 각각 2킬로 미터 내에 위치한 영역을 무엇이라고 합니까?

비무장지대입니다.

9. 대한민국에서 대학에 진학하기 위하여 치러야 하는 시험의 이름은 무엇입니까?

대학수학능력시험입니다.

10. 가족이나, 친구들이 시험 잘 보라고 주는 음식은 무엇입니까?

엿이나 찹쌀떡입니다.

11. 공영방송으로 방송을 통해 학교교육을 보충하고 평생 교육을 지원하기위해 운영되고 있는 대한민국의 교육방송사를 무엇이라고 합니까?

이비에스 (EBS)입니다.

12. 금융거래를 할 때 당사자 실제 본인의 이름만으로 하도록 도입한 제도를 무엇이라고 합니까?

금융실명제입니다.

13. 이민자가 이것을 이수할 경우 대한민국의 국적을 취득할 수 있고 체류자격을 변경할 경우에도 혜택을 받을 수 있는 교육과정을 무엇이라고 합니까?

사회통합 프로그램입니다.

14. 남편과 아내 모두 직업을 가지고 돈을 버는 것을 무엇이라고 합니까?

맞벌이입니다.

15. 거리에서 지갑을 주웠습니다. 지갑안에는 지갑주인에게 연락할만한 전화번호 등이 없었습니다. 어떻게 해야 할까요?

유실물센터나 경찰서의 가져다줍니다.

16. 중요한 사건이나 화제를 종이로 보여주는 것으로 거의 매일 발행되며, 조선일보, 중앙일보, 동아일보, 한국일보 등과 같이 정치, 경제, 사회, 문화, 국제, 스포츠 등에 대한 정보를 담고 광고도 있는 것은 무엇입니까?

신문입니다.

17. 아픈 사람에게 병원에서 의사에게 진료를 받은 다음 처방받은 약을 사기 위하여 약국에 제출하는 것은 무엇입니까?

처방전입니다.

18. 눈이 아프거나 이상이 있으면 어떤 병원을 가야 합니까?

안과입니다.

19. 독도는 대한민국의 영토입니다. 외국인 친구가 독도를 일본의 영토로 잘못 알고 있다면 어떻게 해야 합니까?

독도는 대한민국의 영토라고 바르게 알려줍니다.

20. 독도는 언제부터 대한민국의 땅 이였습니까?

신라시대때부터입니다.

21. 외국인 친구가 우리나라의 동쪽 바다를 일본해라고 부르면 어떻게 해야 합니까?

동해라고 바르게 알려줍니다.

22. 삼 일에 한번 열리는 시장을 무엇이라고 합니까?

삼일장입니다.

23. 오일에 한번 열리는 시장을 무엇이라고 합니까?

오일장입니다.

24. 텔레비전에서 식품, 화장품, 가전제품, 보험, 여행상품 등 다양한 상품광고를 보고 즉시 전화나 인터넷으로 주문할 수 있는 광고형태를 무엇이라고 합니까?

홈쇼핑이라고 합니다.

25. 인터넷을 이용하여 물건을 주문할 수 있는 것을 무엇이라고 합니까?

인터넷 쇼핑입니다.

26. 마트에서 물건을 샀는데 마음에 안 들어서 그 물건을 돌려주고 이미 낸 돈을 돌려받는 것을 무엇이라고 합니까?

환불입니다.

27. 새물건을 샀는데, 부속품이 없거나, 스크래치가 있는 등 하자가 있을 때, 다른 새 상품으로 바꿉니다. 이것을 무엇이라고 합니까?

교환입니다.

28. 부동산이나 물건을 사용하게 하고 이에 대한 임차료를 지급할 것을 내용으로 하는 계약서를 무엇이라고 합니까?

임대차계약서입니다.

29. 부동산에 관한 권리관계가 적혀 있는 공적인 문서를 무엇이라고 합니까?

등기부 등본입니다.

30. 집주인에게 일정한 보증금을 맡기고 계약기간동안 집을 빌려 사용하고, 계약이 끝나면 보증금을 돌려받는 형태의 임대차를 무엇이라고 합니까?

전세입니다.

31. 집주인에게 매달 일정한 돈을 내고 집이나 방을 빌려 쓰는 형태 임대차를 무엇이라고 합니까?

월세입니다.

32. 집을 매매, 전세, 또는 월세로 구할 때 어디로 가야 합니까?

공인중개사 사무소로 가야 합니다.

33. 미래에 예측할 수 없는 재난이나 사고의 위험에 대비하고자 생긴 제도를 무엇이라고 합니까?

보험입니다.

34. 교통사고가 났을 때를 대비하여 교통사고 발생시, 의료비등을 지원받기 위해 가입해야 하는 것은 무엇입니까?

책임보험입니다.

35. 대한민국의 4대 사회보험은 어떤 것들이 있습니까?

건강보험, 고용보험, 산재보험, 국민연금입니다.

36. 아파서 병원에 갈 때 의료비의 일부를 지원받을 수 있는 보험은 무엇입니까?

건강보험입니다.

37. 회사에서 일하다가 사고로 다쳤을 때 병원비등 피해에 대해 보상을 받을 수 있는 사회보험은 무엇입니까?

산재보험입니다.

38. 회사에서 해고되었을 때 일정기간 금전적 지원을 받을 수 있는 사회보험은 무엇입니까?

고용보험입니다.

39. 나이가 들어 더 이상 돈을 벌기 어려울 때 매달 일정 금액을 생활비로 지급받을 수 있는 사회보험은 무엇입니까?

국민연금입니다.

40. 다른 사람의 돈이나 물건을 빌리는 것을 증명하는 문서를 무엇이라고 합니까?

차용증입니다.

41. 취직을 하기 위해 회사 등에 제출하는 개인의 신상정보, 자격증, 학력, 경력을 시간 순으로 나열한 문서를 무엇이라고 합니까?

이력서입니다.

42. 상대방이 연령이 높거나 지위가 높은 경우 또는 공적인 장소에서는 무슨 말을 사용해야 합니까?

높임말/존댓말입니다.

43. 임신기간동안 태아에게 좋은 영향을 줄기위해 말, 행동, 마음가짐 등을 조심히 해야 합니다. 이러한 교육활동을 무엇이라고 합니까?
태교라고 합니다.

44. 대한민국에서 아이를 임신하면 임산부의 건강관리와 출산에 필요한 비용의 일부를 지원하는 카드를 무슨 카드라고 합니까?

국민행복카드입니다.

45. 유아 학비와 보육료를 지원하기 위하여 국가에서 바우처로 사용하는 카드를 무슨 카드라고 합니까?

아이행복카드입니다.

46. 지하철이나 버스 등을 이용하거나 갈아탈 수 있는 카드를 무엇이라고 합니까?

교통카드입니다.

47. 물건을 살 때 현금이 없이도 이것으로 구입할 수 있습니다. 은행이나 카드회사로부터 발급받아 사용하는 카드를 무슨 카드라고 합니까?

신용카드입니다.

48. 버스나 지하철을 이용하여 이동할 때 또는 노선을 바꾸어 이용할 때 교통카드를 이용하면 요금을 할인 받게 되는 제도는?

환승 제도입니다.

49. 불이 났을 때 화재 현장에 출동하여 화재를 진압하고 화재, 재해 등이 다시 발생하지 않도록 방지하는 일을 하는 사람들은 누구입니까?

소방관들입니다.

50. 불이 난 것을 발견했을 때 신고하는 전화번호는 몇 번입니까?

119입니다.

51. 집에 도둑이 들었을 때 신고하는 전화번호는 몇 번입니까?

112입니다.

52. 교통사고가 나면 어디에 신고합니까?

경찰서 (112)에 신고합니다.

53. 어느 날 집에 돌아올 시간이 지났는데도 아이가 집에 안 들어오고 여기저기 찾아봐도 없을 때 어떻게 해야 합니까?

경찰 (112)에 신고합니다.

54. 산에 놀러갔는데 술을 마시다가 싸우면 어떻게 해야 합니까?
서로 대화를 통해 해결합니다. 그래도 안되면 경찰(112)에 신고합니다.

55. 전화번호 문의는 몇 번으로 합니까?

114입니다.

56. 국가 또는 지방자치단체의 사무를 처리하는 기관을 무엇이라고 합니까?

관공서입니다.

57. 편지나 전보 소포 등을 모아 배달하는 곳으로 우편업무를 맡아 보는 기관을 무엇이라고 합니까?

우체국입니다.

58. 많은 종류의 도서 문서 기록 출판물 등의 자료를 모아 두고 일반인들이 볼 수 있도록 한 시설을 무엇이라고 합니까?

도서관입니다.

59. 대한민국 음식 중 보리밥 또는 쌀밥에 나물과 여러가지 재료와 고추장 등 양념을 넣어 비벼 먹는 음식의 이름은 무엇입니까?

비빔밥입니다.

60. 자동차에 탈 때 사고시 발생하는 충격으로부터 사람들을 보호하기 위해 몸을 좌석에 고정시키는 띠는 무엇입니까?

안전벨트입니다.

61. 아무 때나 자유롭게 예금하고 찾을 수 있는 예금을 무엇이라고 합니까?

보통예금입니다.

62. 부부 중 어느 한쪽의 잘못 때문에 이혼을 하려고 합니다. 이때 피해자의 정신적 고통이나 피해에 대한 보상으로 받을 수 있는 것을 무엇이라고 합니까?

위자료입니다.

63. 이혼을 하는 방법에는 어떤 방법들이 있습니까?

협의상 이혼, 재판상 이혼의 방법이 있습니다.

64. 대한민국에서 물건을 사거나 음식을 먹을 때마다 10%씩 내는 세금을 무엇이라고 합니까?

부가가치세입니다.

65. 한국에서 생활하면서 지켜야 할 기초질서를 2가지 이상 말해보세요.

(1) 신호등이 빨간 불 일 때 건너지 않는다.

(2) 쓰레기를 함부로 버리지 않는다.

(3) 음주운전을 하지 않는다.

66. 길을 가다가 떨어져 있는 봉투를 주웠는데, 봉투를 열어보니 오백만원이 있었습니다. 아무도 모르게 집에 가지고 가서 생활비로 조금씩 돈을 사용했습니다. 이행동은 올바른 행동인가요? 일반법에서는 이를 무엇이라고 합니까?

잘못된 행동입니다. 법적으로는 점유이탈 횡령죄에 해당합니다.

67. 일정한 시간이 되면 일을 끝내고 가정으로 돌아가는 것을 무엇이라고 합니까?

퇴근이라고 합니다.

68. 만약, 회사에서 월급을 안 준다면 어디에 신고합니까?

고용 노동부에 신고합니다.

69. 회사나 단체 등에서 단체에 속한 사람들이 함께 모여 음식 등을 먹는 것을 무엇이라고 합니까?

회식이라고 합니다.

70. 대한민국에 있는 기차종류를 말해보세요.

KTX, 새마을호, 무궁화호 등입니다.

71. 서울에서 부산을 이어주는 철도로 대한민국에서 가장 긴 철도는 무엇입니까?

경부선입니다.

72. 대한민국에서 가장 먼저 건설된 철도는 무엇입니까?

경인선입니다.

73. 서울과 부산을 연결시켜주는 우리나라에서 가장 긴 고속도로는 무엇입니까?

경부 고속도로입니다.

74. 서울과 인천을 연결하는 대한민국 최초의 고속도로는 무엇입니까?
경인 고속도로입니다.

75. 예금을 하거나 돈을 다른 사람에게 보내려면 어디로 가야 합니까?
은행입니다.

76. 은행에서 돈을 거래하기 위해 만드는 것은 무엇입니까?

통장입니다.

77. 은행에 가지 않고 전화를 이용하여 다른 곳으로 돈을 보내거나 통장에 남의 돈의 액수를 알아볼 수 있습니다. 이것을 무엇이라고 합니까?

텔레 뱅킹이라고 합니다.

78. 은행에 가지 않고 인터넷을 이용하여 다른 곳으로 돈을 보내거나 통장에 남의 돈의 액수를 알아볼 수 있습니다. 이것을 무엇이라고 합니까?

인터넷뱅킹이라고 합니다

79. 집에서 일반 쓰레기를 버릴 때 무슨 봉투를 사용해야 합니까?

종량제 봉투를 사용해야 합니다.

80. 어린 아이가 걸음을 익히기 위하여 타는 기구는 무엇입니까?

보행기입니다.

대한민국 주변국가 (핵심 단어)

북한, 미국, 중국, 일본, 러시아

대한민국 주변국가 (실전문제)

1. 6.25전쟁은 남한과 북한 중 어느 쪽이 먼저 침략했습니까?

   북한입니다.

2. 대한민국의 대표적 우방국가로서 군사적, 경제적, 정치적으로 긴밀한 맺고 있는 나라는 어디입니까?

   미국입니다

3. 역사적으로 한자, 유교, 불교 등 대한민국에 문화적으로 많은 영향을 주었고, 현재도 많은 영향을 주고받는 나라는 어느 나라입니까?

   중국입니다.

4. 과거 식민지 지배와 독도문제 등으로 대한민국과 갈등이 있었으나, 지금은 경제적, 문화적 교류가 활발한 나라는 어디입니까?

   일본입니다.

5. 6.25전쟁당시 북한을 지원하였지만, 현재는 에너지, 기술, 자원 등의 영역에서 서로 도움을 주고받으며 우호적인 관계를 이어가고 있는 나라는 어디입니까?

   러시아입니다.

6. 대한민국과 밀접한 관계를 맺으며 주변에 위치한 나라에는 어떤 나라들이 있습니까?

미국, 중국, 일본, 러시아가 있습니다.

★읽고 답하기 문제★

☞주의해야 할 사항☜

1. 항상 존대말로 대답합니다.
2. ~이유? ~때문입니다. 라고 대답합니다.
3. ~무엇? ~입니다. 라고 대답합니다.
4. 목소리는 너무 작지도 크지도 않게 말합니다.
5. 부드러운 말투로 대답합니다.
6. 너무 빠르거나 늦지 않게 말합니다.
7. 문제를 못 듣거나 답이 생각 안 날 때는 당황하지 말고
   "잘 못 들었습니다. 다시한번 말씀해 주세요?"라고 말합니다.

읽기 1: 6월 5일 환경의 날

내일은 6월 5일 환경의 날입니다. 환경의 날을 맞이하여 저희 가게는 “비닐봉투 없는 날” [1]캠페인을 합니다. 이날 하루는 비닐 봉투를 [4]제공하지 않으니 가방이나 장바구니를 [2]준비해 주시기 바랍니다. 여러분, 비닐은 소각할 경우 유해물질이 발생할 뿐 아니라 땅에 매립한다고 하여도 분해되는데 몇 백 년이 [5]걸린다 고 합니다. 이제 우리가 왜 비닐 봉투 대신에 장바구니를 사용해야 하는지 아시겠죠? 그날 장바구니를 준비해서 매장을 방문하는 고객님께는 500원 돌려 [6]드립니다! 장바구니를 [3]가지고 다니시면 500원도 돌려받을 수 있을 뿐만 아니라 환경오염도 줄일 수 있습니다. 지구가 방긋 웃도록 캠페인에 참여해 주실 거죠?

주의해야 할 발음

환경의 날을	환경의 나를
500원도 돌려받을 수	500원도 돌려바들 수

문제

1. 이 가게는 내일 어떤 캠페인을 합니까?

   '비닐봉투 없는 날 캠페인'을 합니다.

2. 6월 5일에 이 가게에 물건을 사러 갈 때 준비해야 하는 것은 무엇입니까?

   가방이나 장바구니를 준비해야 합니다.

3. 6월 5일에 장바구니를 가져가면 좋은 점은 무엇입니까?

   500원도 돌려받을 수 있을 뿐만 아니라 환경 오염도 줄일 수 있습니다.

4. 6월 5일에 이 가게에서 제공하지 않는 것은 무엇입니까?

   비닐 봉투입니다.

5. 비닐은 땅에 매립하면 분해되는데 얼마나 걸립니까?

   몇백년이 걸린다고 합니다.

6. 6월 5일에 장바구니를 가져가면 얼마나 받을 수 있습니까?

   500원입니다.

읽기 2. 한국의 전통 결혼식

전통결혼식에는 주례가 없고, 결혼 절차를 진행[1]하는 사회자만 있다. 신랑과 신부는 혼례상을 마주보고 서로 절을 하[3]고 술을 나눠 마시며 끝까지 함께할 것을 약속[2]한다. 혼례상 위에는 대추와 밤, 소나무, 대나무, 기러기, 암탉과 수탉 등이 있다. 이러한 것들은 모두 특별한 의미[8]를 가지고 있다. 예를 들면 기러기는[7] 사이 좋은 부부 관계를 나타내고 대추와 밤은[4] 많은 자녀를 상징[9]한다. 신부는 아름다운 예복을 입고 족두리를 머리[10]에 쓴다. 붉은색이 나쁜 것을 막아준다고 믿기 때문[8]에 [5] 두[13] 볼에는 연지[6], [5] 이마[12]에는 곤지[6]를 찍는다.

주의해야 할 발음

술을 나눠 마시며	수를 나눠 마시며
이러한 것들은	이러한 거뜨른
예를 들면	예를 들면

실전문제

1. 전통 결혼식은 어떻게 진행됩니까?

   주례가 없고, 결혼 절차를 진행하는 사회자만 있습니다.

2. 전통 결혼식의 의미는 무엇입니까?

   끝까지 함께 할 것을 약속합니다.

3. 신랑과 신부는 무엇을 합니까?

   혼례상을 마주보고 서로 절을 하고 술을 나눠 마십니다.

4. 대추와 밤은 무슨 의미를 가지고 있습니까?

   대추와 밤은 많은 자녀를 상징합니다.

5. 두 볼과 이마에는 찍는 것은 무엇입니까?

   연지와 곤지입니다.

6. 연지와 곤지를 어디에 찍습니까?

   두볼에는 연지, 이마에는 곤지를 찍습니다.

7. 기러기는 무엇을 나타냅니까?

사이좋은 부부관계를 나타냅니다.

8. 신부의 볼과 이마에 연지, 곤지를 찍는 이유는 무엇입니까?

붉은 색이 나쁜 것을 막아준다고 믿기 때문입니다.

9. 결혼식에는 어떤 상징물들이 있습니까?

대추와 밤, 소나무, 대나무, 기러기, 암탉과 수탉 등이 있습니다.

10. 많은 자녀를 상징하는 것은 무엇입니까?

대추와 밤입니다.

11. 신부가 머리에 쓰는 것은 무엇입니까?

족두리입니다.

12. 신부의 이마에 찍는 것은 무엇입니까?

곤지입니다.

13. 신부의 두 볼에 찍는 것은 무엇입니까?

연지입니다.

읽기 3. 교육 9살

남자: 아이가 많이 컸네요. 몇살이에요?

여자: 네. 9살[2]이에요. 작년[3]에 초등학교에 들어갔어요.

남자: 그래요? 이제 다 키우셨네요. 그럼 아이한테 따로 가르치는 게 있나요? 요즘은 아이가 초등학교 입학하기 전에 한글을 미리 가르치고 더 많은 과목을 가르치는 사람들도 있더라고요.

여자: 네, 피아노 학원[1]에 보내고 있는데 영어를 가르쳤지만 아이가 스트레스를 받을 까봐 걱정[4]도 되고요.

남자: 스트레스 받지 않도록 신경만 쓰면 조기 교육이 좋은[5] 점도 많네요. 자신감도 기울 수 있고 이것저것 배우면서 소질도 빨리 발견할 수 있고요.

주의해야 할 발음

켰네요	켠네요
많은	만흔
받을	바들

문제

1. 여자는 아이를 어떤 학원에 보냅니까?

   피아노 학원에 보냅니다.

2. 아이가 몇 살에 학교에 갔습니까?

   8살에 학교에 갔습니다.

3. 아이가 언제 초등학교에 갔습니까?

   작년에 초등학교에 들어갔습니다.

4. 여자는 무엇을 걱정합니까?

   조기교육이 아이에게 스트레스를 줄 까봐 걱정합니다.

5. 아이가 조기교육 (일찍 교육)을 받으면 좋은 점은 무엇입니까?

   자신감도 키울 수 있고, 이것저것 배우면서 소질도 빨리 발견할 수 있습니다.

읽기 4. 교육 6살

여자: 아이가 많이 컸네요. 몇살이에요?

남자: 네. 아이가 [6]6살이에요. 이제는 밥을 먹여 주지 않아도 혼자서 잘 먹어요. 내년이면 벌써 [1]유치원에 들어가요.

여자: 그래요? 이제 다 키우셨네요. 그럼 아이한테 [5]따로 가르치는 게 있나요? 요즘은 아이가 읽고 쓸 수 있도록 한글을 미리 가르치는 사람들도 있더라고요.

남자: 아니요, 저는 조기교육이 꼭 필요한지 잘 모르겠어요. 아이가 스트레스를 받을 까봐 [2]걱정도 되고요.

[4]여자: 스트레스 받지 않도록 신경만 쓰면 조기 교육이 [3]좋은 점도 많데요. 자신감도 키울 수 있고 이것저것 배우면서 소질도 빨리 발견할 수 있고요.

주의하여야 할 발음

먹여	머겨
모르겠어요	모르게써요.

문제

1. 아이가 언제 유치원에 갑니까?

   내년에 갑니다.

2. 남자가 무엇을 걱정합니까?

   조기교육을 받으면 아이가 스트레스를 받을 까봐 걱정합니다.

3. 아이가 일찍 교육을 받으면 좋은 점은 무엇입니까?

   자신감도 키울 수 있고, 이것저것 배우면서 소질도 빨리 발견할 수 있습니다.

4. 남자에게 조언을 제공하는 사람은 누구입니까?

   여자입니다.

5. 아이에게 따로 가르치는 것이 있습니까?

   없습니다.

6. 남자의 아이가 몇 살부터 유치원에 들어갑니까?

   7살입니다.

읽기 5. 저출산 해결방법

한국은 현재 저출산 고령화 문제가 심각한 상황입니다. 그렇다면 출산율이 낮은 이유는 무엇일까요? 이에 대해 한국인을 대상으로 조사한 결과 사교육비가 부담스럽다는 의견이 가장[1] 높게 나타났습니다. 그 다음으로 맞벌이 가정의 증가로 특히 여성들이 일과 양육을 동시에 하는 것이 어려워서 라는 응답이 그 뒤를 이었습니다. 세번째로 많은 응답은 정부의 재정적 지원이 적어서 라는 대답이었습니다. 끝으로 개인주의가 확산됨에 따라 자녀에 얽매인 삶이 싫어서 라는 응답은 가장 적게[2] 나타났습니다. 전문가들은 저출산 문제를 해결[4]하기 위해서는 정부가 사교육비를 줄일 수[3] 있도록 하고 일하는 여성들이 맘놓고 일할 수 있도록 정부가 지원을 아끼지 않아야 할 것이라고 말했습니다.

주의하여야 할 발음

그렇다면	그러타면
그 다음으로	그 다으므로
응답은	응다븐
확산됨에	확산되메
얽매인	얽매인

문제

1. 조사 결과 한국의 출산율이 낮은 첫번째 이유는 무엇입니까?

   교육비가 부담스럽기 때문입니다.

2. 조사결과, 가장 적게 나타난 응답은 무엇입니까?

   개인주의가 확산됨에 따라 자녀에 얽매인 삶이 싫어서 라는 응답입니다.

3. 정부가 사교육비를 줄일 수 있도록 해야 하는 이유는 무엇입니까?
   저출산 문제를 해결하기 위해서입니다.

4. 전문가들이 저출산 문제를 해결하기 위해 말한 두가지 방법은 무엇입니까?

   정부가 사교육비를 줄일 수 있도록 하고 일하는 여성들이 맘놓고 일할 수 있도록 정부가 지원을 아끼지 않아야 할 것입니다.

읽기 6. 정의로운 법

법을 지키는 것은 한국에서 함께 살아가는 사람들이 기본적으로 지켜야 할 태도이다. 한국에서 생활하는 외국인들도 법을 잘 지켜야 한다. 법을 잘 지킴[5]으로써 스스로의 권리와 다른 사람의 권리를 더 잘 보장할 수 있다는 것도 기억해야 한다.

서울특별시 서초구 서초동에 있는 대법원[3]에는 정의의 여신상이 있다. 정의의 여신상은 오늘날 한국의 법이 추구하는 모습을 상징[4]하고 있다. 정의의 여신상은 한 손에는 저울을, 다른 한 손에는 법전을 들고 있으며, 두 눈을 뜨고 있다. 법전[1]은 누구나 법에 따라 공정하게 재판한다는 것을 뜻하며 저울[1]은 각 사람의 권리나 잘잘못을 올바르게 판단하겠다는 뜻이다. 그리고 두 눈을 뜨고[2] 있는 것은 사회적 약자를 적극적으로 돕겠다는 의미를 담고 있다.

주의해야 할 발음

정의의	정의의
뜻하며	뜨타며
적극적으로	적극저그로

문제

1. '정의의 여신상'이 들고 있는 법전과 저울은 각각 무엇을 뜻합니까?

   법전은 누구나 법에 따라 공정하게 재판한다는 것을 뜻하며 저울은 각 사람의 권리나 잘잘못을 올바르게 판단하겠다는 뜻입니다.

2. '정의의 여신상'이 두 눈을 뜨고 있는 이유는 무엇입니까?

   사회적 약자를 적극적으로 돕겠다는 뜻을 담고 있기 때문입니다.

3. 대법원이 위치한 곳은 어디입니까?

   서울특별시 서초구 서초동에 있습니다.

4. '정의의 여신상'은 무엇을 상징합니까?

   오늘날 한국의 법이 추구하는 모습을 상징하고 있습니다.

5. 법을 지켜야 하는 이유는 무엇입니까?

   법을 잘 지킴으로써 스스로의 권리와 다른 사람의 권리를 더 잘 보장할 수 있습니다.

읽기 7. 지구의 날 (4월 22일)

매년 [1]4월 22일은 “지구의 날” 입니다. “지구의 날”은 [1]지구 환경오염 문제를 [8]심각하게 생각하는 자연 보호자들이 [8]만든 날입니다. 저희 가게는 내일 4월 22일 “지구의 날”을 맞이하여 “비닐봉투 없는 날” [2]캠페인을 합니다. 저희 가게에서는 내일 “지구의 날”을 맞이하여 비닐봉투를 [3]제공하지 않으니 손님들께서는 장바구니를 [4]준비해 주시기 바랍니다. 여러분, 비닐은 소각할 경우 유해물질이 발생할 뿐 아니라 [7]땅속에 묻는다고 하여도 분해되는데 몇백 년이 걸린다고 합니다. 이제 우리가 [5]왜 비닐 봉투 대신에 장바구니를 사용해야 하는지 아시겠죠? 이날 [6]장바구니를 준비해서 매장을 방문하는 고객님께는 백 원을 돌려 드립니다!

문제

1. 지구의 날은 언제이며 무슨 날입니까?

   매년 4월 22일은 “지구의 날” 입니다. “지구의 날”은 지구 환경오염 문제를 심각하게 생각하는 자연보호자들이 만든 날입니다.

2. 이 가게는 내일 어떤 캠페인을 합니까?

   비닐 봉투 없는 날 캠페인을 합니다.

3. 4월 22일에 이 가게에서 제공하지 않는 것은 무엇입니까?

   비닐 봉투입니다.

4. 4월 22일에 이 가게에서 물건을 사려갈 때 준비해야 할 것은 무엇입니까?

   장바구니입니다.

5. 왜 비닐봉투 대신 장바구니를 사용해야 합니까?

   비닐은 소각할 경우 유해물질이 발생할 뿐 아니라 땅속에 묻는다고 하여도 분해되는데 몇백년이 걸리기 때문입니다.

6. 4월 22일에 이 가게에 장바구니를 가져가면 좋은 점은 무엇입니까?

   환경을 보호할 수 있고 백 원도 돌려받을 수 있습니다.

7. 비닐은 땅에 매립하면 분해되는데 얼마나 걸립니까?

   몇백년이 걸린다고 합니다.

8. 지구의 날은 누가 만들었습니까?

지구 환경오염 문제를 심각하게 생각하는 자연보호자들이 만들었습니다.

9. 지구의 날을 만든 이유는 무엇입니까?

환경 오염 문제 때문입니다.

읽기 8. 한복은 어떤 특징이 있을까?

한복은 한국인의 전통적이 옷이다. 한복은 시대에 따라 모양이 달랐는데 요즘의 한복은 조선시대[10]의 형태가 전해진 것이다. 남자는[1] 바지와 저고리를 기본으로 하고, 외출할 때는 두루마기를 입었다. 여자는[2] 치마와 저고리를 기본으로 하고, 외출할 때는 장옷을 입었다. 넉넉한[4] 바지와 치마는 앉아서 생활하기 편하도록 만들어졌다. 남녀[5] 모두 발에는 버선을 신었다. 여름[3]에는 삼베나 모시로 옷을 만들어[9] 시원하게 입고 지냈으며, 겨울[3]에는 비단이나 솜으로 옷을 만들어[9] 따뜻하게 입고 지냈다. 요즘[7] 한복은 명절 결혼식, 돌잔치 등과 같은 특별한 날에 입는 옷이 되었고 일상생활[8]에서 한복을 입는 경우는 그리 많지 않다. 집 밖에서의 활동이 많은 현대 사회의 특성에 비추어 볼 때 한복을 입는 것이 다소 번거로울 수 있기 때문[8]이다. 한편 한복의 전통성을 살리면서도 일상 생활에서 입기 편하도록 개량[9]하여 만든 생활한복이 꾸준한 인기를 끌고 있다.

주의해야 할 발음

넉넉한	넉넉칸
옷을	오슬
날에	나레
옷이	오시
많은	만흔
것이	거시
때문이다	때문이다

문제

1. 남자 한복의 옷차림에 대해 말해 보세요.

   남자는 바지와 저고리를 기본으로 하고, 외출할 때는 두루마기를 입습니다.

2. 여자 한복의 옷차림에 대해 말해 보세요.

   여자는 치마와 저고리를 기본으로 하고, 외출할 때는 장옷을 입습니다.

3. 예전 한국 사람들은 여름과 겨울에 한복을 어떻게 다르게 입었습니까?

   여름에는 삼베나 모시로 옷을 만들어 시원하게 입고 지냈으며, 겨울에는 비단이나 솜으로 옷을 만들어 따뜻하게 입고 지냈습니다.

4. 넉넉한 바지와 치마를 만든 이유는 무엇입니까?

앉아서 생활하기 편하도록 하기 위해서입니다.

5. 남녀모두 발에 무엇을 신었습니까?

버선을 신었습니다.

6. 요즘은 한복을 언제 입습니까?

명절, 결혼식, 돌잔치 등과 같은 특별한 날에 입습니다.

7. 일상생활에서 한복을 입는 경우가 그리 많지 않은데 그 이유는 무엇입니까?

집 밖에서의 활동이 많은 현대 사회의 특성에 비추어 볼 때 한복을 입는 것이 다소 번거로울 수 있기 때문입니다.

8. 개량하여 만든 생활한복의 특징은 무엇입니까?

한복의 전통성을 살리면서도 일상 생활에서 입기 편합니다.

9. 한복은 무엇으로 만듭니까?

여름에는 삼베나 모시로 옷을 만들었고, 겨울에는 비단이나 솜으로 만들었습니다.

10. 요즘의 한복은 어느 시대의 형태가 전해진 것입니까?

조선시대의 형태가 전해진 것입니다.

시험전 면접관의 질문

1. 이름이 무엇입니까?

2. 생년월일은 언제입니까?

3. 아이가 있습니까?

4. 아이가 몇 살입니까?

5. 아이의 이름은 무엇입니까?

6. 시부모님과 같이 사십니까?

7. 남편과 행복하게 살고 있습니까?

8. 당신의 나이가 어떻게 되세요?

9. 남편의 나이는 어떻게 됩니까?

10. 남편의 이름은 무엇입니까?

11. 남편의 직업은 무엇입니까?

12. 남편은 어떻게 만났습니까?

13. 지금 어디에 살고 계십니까?

14. 한국에 온지 얼마나 되었습니까?

15. 한국어를 어디에서 공부했습니까?

16. 귀화시험은 어디에서 공부했습니까?

17. 공부 많이 했습니까?

18. 남편의 주민등록 번호를 말해보세요.

19. 외국인 번호를 말해보세요.

20. 국적은 왜 취득하고 싶습니까?

21. 의자에 앉으세요.

22. 앞의 질문을 읽어주세요.

23. 베트남에서 고향은 어디입니까?

24. 한국에 오기전에 무엇을 했습니까?

25. 베트남에서 언제까지 공부했습니까?

26. 지금 살고 있는 곳에 유명한 관광지가 있습니까?

27. 이것은 무엇입니까?

28. 오늘 누구와 같이 왔습니까?

29. 귀화시험은 처음 이세요?

시험전 면접관과의 대화

1. 안녕하세요.
2. 잘 부탁드립니다.

시험 중 면접관과의 대화

1. 죄송합니다. 모르겠습니다.
2. 죄송하지만 다시 말씀해 주십시요?
3. 죄송하지만 다시 대답하고 싶습니다

시험 후 면접관과의 대화

1. 선생님 수고 많으셨습니다.
2. 네, 감사합니다.
3. 네, 알겠습니다.
4. 안녕히 계세요.
5. 좋은 하루 되세요.

서약서

나는 대한민국에 귀화함에 있어 대한민국에 충성을 다하고 대한민국의 헌법과 법률이 정한 내용을 준수하며 자유민주적 기본질서를 존중하고 대한민국 국민으로서의 의무와 책임을 다할 것을 엄숙히 서약합니다.